APPRENDRE AVEC LES ANIMAUX

Les couleurs

avec les ani

Mélanie Watt

Les éditions Scholastic

Dans la forêt tropicale...

Rouge

Des grenouilles rouges

Orange

Des tigres orange

Jaune

Un serpent jaune

Vert

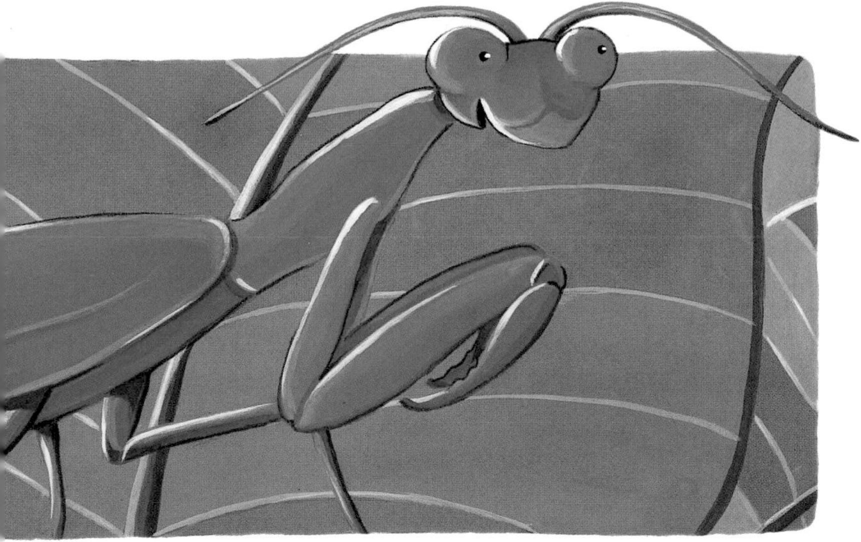

Des mantes religieuses vertes

Bleu

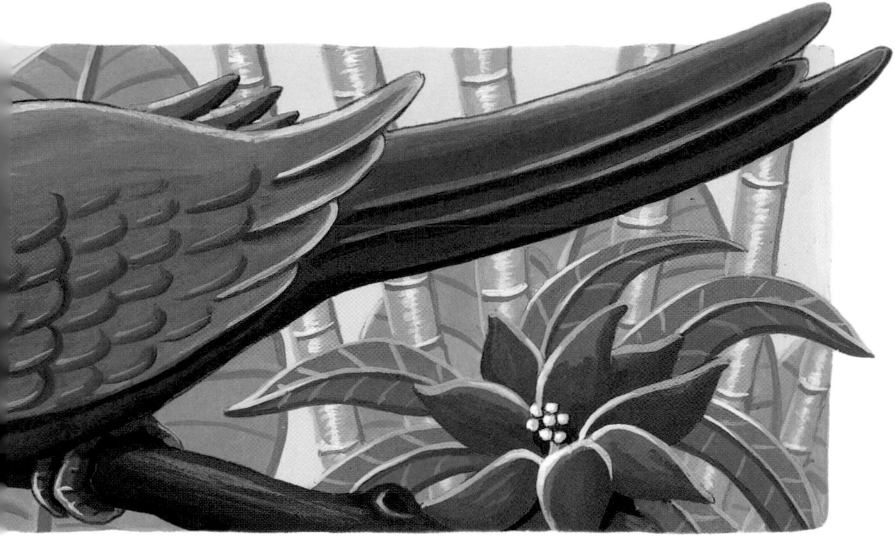

Un ara bleu

Violet

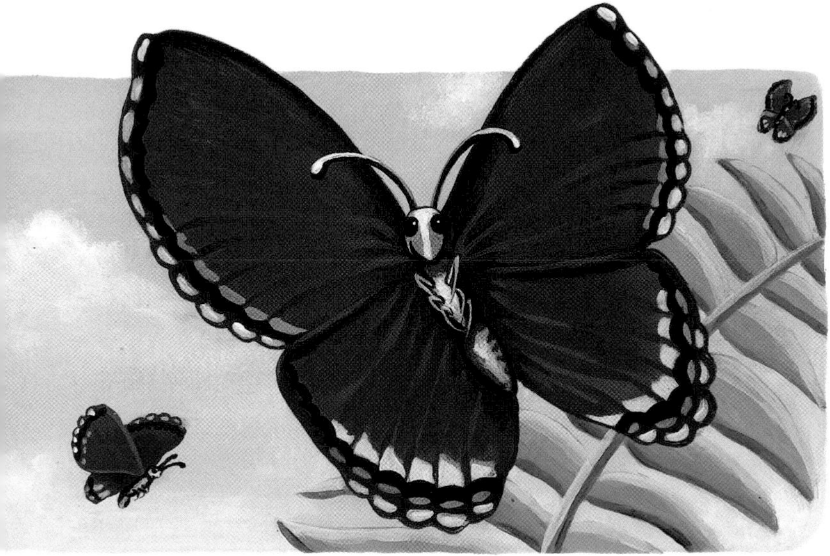

Des papillons violets

Turquoise

Un caméléon turquoise

Beige

Des singes beiges

Brun

Des chauves-souris brunes

Blanc

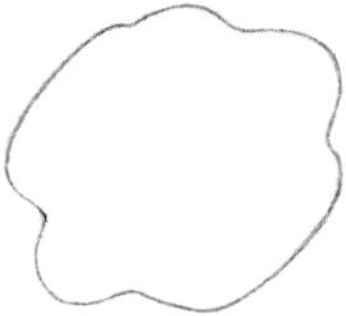

Des cacatoès blancs

Noir

Des gorilles noirs

Gris

Un tatou gris

Multicolore

Un toucan multicolore

Rouge

Orange

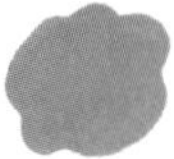

Jaune

Vert

Bleu

Violet

Turquoise

Beige

Brun

Blanc

Noir

Gris

Multicolore

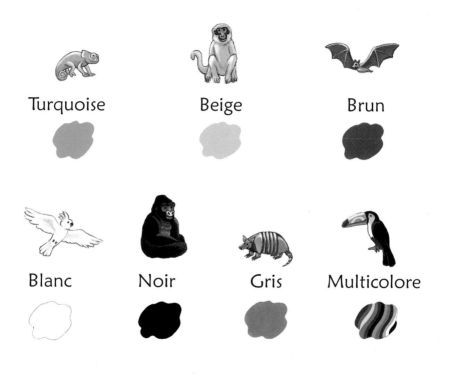

Pour ma mère, dont les peintures
aux couleurs vives m'ont inspirée.

Illustrations réalisées à l'acrylique.
Texte composé en caractères Maiandra.
Conception graphique de Karen Powers.

Édition publiée par Les éditions Scholastic, 175 Hillmount Road, Markham (Ontario) L6C 1Z7, avec la permission de Kids Can Press Ltd.

5 4 3 2 1 Imprimé à Hong-Kong, Chine 03 04 05 06

Catalogage avant publication de la Bibliothèque nationale du Canada

Watt, Mélanie, 1975-
Les couleurs / Mélanie Watt.

(Apprendre avec les animaux)
Traduction de: Colors.
ISBN 0-439-97016-4

1. Couleurs--Ouvrages pour la jeunesse. 2. Animaux—Ouvrages pour la jeunesse. I. Titre. II. Collection.

QC495.5.W3714 2003 j535.6 C2003-901555-6